图书在版编目（CIP）数据

小棕熊的梦 / [荷兰]汉斯·比尔文·图；王星译. —武汉：湖北美术出版社，2007.9
（海豚绘本花园系列）
ISBN 978-7-5394-2139-1

Ⅰ.小… Ⅱ.①汉…②王… Ⅲ.动画：连环画—作品—荷兰—现代 Ⅳ.J238.7

中国版本图书馆CIP数据核字(2007)第109919号
著作权合同登记号：图字17-2007-048

小棕熊的梦

[荷兰]汉斯·比尔 / 文·图   王 星 / 译
责任编辑 / 余 杉 安 宁
装帧设计 / 付莉萍   美术编辑 / 沈 霞
出版发行 / 湖北美术出版社   经销 / 全国新华书店
印刷 / 恒美印务(番禺南沙)有限公司
开本 / 889×1194 1/16 12印张
版次 / 2007年10月第1版第1次印刷
印数 / 1-5000册
书号 / ISBN 978-7-5394-2139-1
定价 / 138.00元(全六册)

Kleiner Braunbär, wovon träumst du?

Kleiner Braunbär, wovon träumst du?
by Hans de Beer
© 1994 NordSüd Verlag AG Zurich / Switzerland
Simplified Chinese copyright © 2007 Dolphin Media Hubei Co., Ltd
本书经瑞士NordSüd出版社授权，由湖北美术出版社独家出版发行。
该书德语版权由北京华德星际文化传媒有限公司代理。

策划 / 湖北海豚传媒有限责任公司   网址 / www.dolphinmedia.cn   邮箱 / dolphinmedia@vip.163.com
海豚传媒常年法律顾问 / 湖北珞珈律师事务所   王清博士   电话 / 027-68754624

小棕熊的梦

[荷兰]汉斯·比尔／文·图

王　星／译

湖北美术出版社

在茂密的森林里，住着一只名叫小奔的小棕熊。

一天，小奔坐在洞前，心里有点伤感，因为几天以来，树叶一直不停地从树上飘落。就在这时，又有一片树叶掠过他的鼻子尖儿，轻轻落到了地上。虽然小奔还是一只幼小的棕熊，但他知道这意味着什么：秋天远去了，冬天马上就要来了。

小奔不喜欢冬天。当他还是熊宝宝时，他和妈妈还有兄弟姐妹们一起，住在一个温暖舒适的大洞穴里。那时的冬天是多么美好啊！但是，从去年开始，小奔就不得不独自熬过漫长的冬季了。一天又一天，一月又一月，日子过得真慢！小奔感到很孤独，所以，他一点儿也不喜欢冬天。

如果所有的熊都能聚在一个洞穴里过冬，该有多好啊！当小奔把这个想法告诉伙伴们时，大家都一个劲儿地摇头。其中一只熊还傲慢地说："你不会是想自己偷懒吧？"

几天之后，小奔开始为自己挖建冬眠的洞穴了。

"弄得那么舒服干吗啊？"他一边干活，一边嘟嘟囔囔地说，"难道就只为了自己吗？"

"嗨，小奔，你为什么不到南方去旅行呢？"一只小燕子飞过来，"跟我一起走吧！那里有阳光、棕榈树、沙滩，还有大海，别老是趴在你这黑咕隆咚的洞里了！"她叽叽喳喳地说完后，就飞向空中，一会儿就看不见了。

"嗯，这个主意不错！"小奔自言自语地说。可是，要把一种想法变成行动，往往需要一个漫长的过程。当其他的熊已经躲在温暖的洞穴里冬眠了，小奔才真正鼓起勇气，开始了自己的南方之旅。

"啊，阳光、棕榈树和沙滩，我来了！"他高兴地喊着。

第二天，小棕熊独自走在森林里。虽然不知道大海和棕榈树究竟在哪里，但他仍然坚信，只要朝着南方走，他迟早会找到那里的。

　　没过多久就开始下雪了，寒风吹透了他的皮毛，冰雪迷住了他的眼睛。"还要走多远才能到达南方啊？"他自言自语着，几乎用尽了所有的力气，迎着风雪继续向前。

　　森林很快就被白茫茫的大雪覆盖了。当大雪终于停下来时，小奔已经冻得发抖了。是不是因为太累了？也许需要休息一会儿呢！他打着呵欠，揉揉眼睛，朝四周张望着。哇！太棒了！他发现，在森林中间有一辆被大雪掩盖着的小卡车！

　　"也许我可以爬进去，在里面暖和暖和，休息一下再走呢。"小奔这么一想，就小心翼翼地向小卡车走去。

　　"车子里会是什么样子呢？……"小奔轻轻地拂去汽车玻璃窗上的雪花，睁大眼睛向车里看去。嗬！车里躺着三只可爱的小睡鼠，他们正用惊讶的目光看着他呢。

　　小睡鼠们在漫长的冬天里要安安静静地睡上七个月，可是现在，却被小奔拨雪的声音吵醒了。他们很害怕，开始大声呼叫："救命！救命！一只大熊！！"

小奔趴在车窗上，很有礼貌地说："对不起，打搅你们了！我可以在车里睡一晚上吗？就一个晚上，好不好？……"

"不！不行！绝对不行！"胆子最大的那只小睡鼠叫了起来。

"对不起，我们这里没有空房间了耶。"第二只小睡鼠补充说。

"是的，已经满员了！"第三只、也是最小的一只说。

"还有，"第一只小睡鼠接着说，"我们这里非常整洁、干净，恐怕不适合你这样一只湿乎乎、脏兮兮的大棕熊喔。"他一边说，一边用最快的速度锁上了车门。

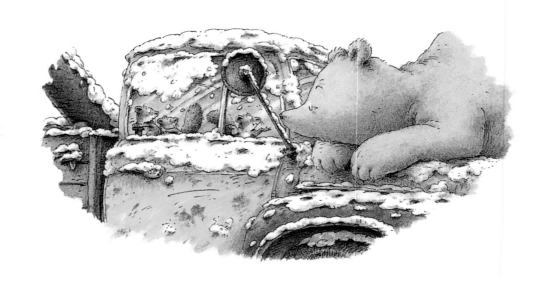

"你们真的不欢迎我吗？"小奔生气了，不停地摇晃着小卡车，又用爪子拍打着车门，然后在车顶上跳个不停。小睡鼠们被他弄得晕头转向，最后不得不放他进来。

"你们好！我叫小奔。"他友好地打着招呼。但是小睡鼠们并不答理他，他们挤在一块儿，尽量和小奔保持着距离，生怕碰到了他。

　　外面的天气越来越冷，但车里却渐渐暖和起来了。没过多久，大家就挤在一起睡着了。慢慢地，卡车被大雪盖住了。

　　"阿－嚏！"小奔打了一个喷嚏后就醒了。他把车窗摇下来，朝外边看了看。只见外面到处都覆盖着白雪，森林上面的天空格外晴朗。他转过身一看，那三只小睡鼠还在香甜地睡着呢。

　　"嘿，快醒醒！外面的景色多美呀！"小奔一边说，一边爬出了卡车。

　　小睡鼠们都被吵醒了，他们发现：小奔钻到了发动机罩盖下，正在兴奋地摆弄着发动机。这时，小奔向他们讲述了燕子、大海、沙滩、棕榈树和充满阳光的南方的景象。

　　"你是不是想说，我们可以开着这辆旧卡车到那里去呢？"最小的那只睡鼠怯怯地问。

　　"当然了！"小奔仍在忙碌，头也没回地喊着，"你的领悟力真强。"

　　"哪有什么问题呢！"另外两只小睡鼠一面赞成地说，一面也跑到发动机罩盖下忙碌起来。

小奔就像一位汽车维修专家一样。他和他的两个助手真没白忙乎，经过一番鼓捣，他们竟然把卡车从雪中推了出来，汽车发出了一串轰隆隆的响声，然后冒出一股浓浓的黑烟。接着，发动机就像猫一样呜呜地叫了起来。

　　好啦，长途旅行开始了。
　　大家全爬上了车，不一会儿，雪地就被甩在了卡车后面。他们开始唱歌，歌声越来越响亮。小睡鼠们会唱很多有趣的歌，小奔只能用沉闷的低音为他们伴唱。
　　在驶往南方的大路上，小奔几乎忘记了自己生活的森林和他所居住的洞穴。

　　这个时候，獾先生老远就听到了卡车的响声。当小奔向他描述了美丽的南方后，獾说："是真的吗？我也好想和你们一起去。"

　　"欢迎，欢迎！卡车后面还有足够的地方呢！"小睡鼠们高兴地喊道。

　　想一起去南方的，可不只是獾先生这一个朋友呢。

　　卡车继续向前行驶，一股股清新而湿润的空气扑鼻而来。他们的车上渐渐地坐满了很多旅伴。大家聚在一起，大声地唱着快乐的歌儿。

突然，小奔来了一个急转弯，把卡车停在了一个沙滩上。是的，他们终于来到了海边。哇！他们看到了大海、棕榈树和灿烂的阳光。"耶！"大家高兴地欢呼起来，这里实在是太温暖、太舒服了！

"是不是有点儿太热了？"过了一会儿，小奔问小睡鼠们。他们一边默默地点着头，一边往树阴里挪动。是啊，天气这么热，他们还穿着厚厚的过冬衣服，所以难受极了。

"真没想到这里这么热。"小睡鼠们呻吟道。

"我也一样，"小奔大口大口地喘着气，"热得有点受不了啦！"他把舌头伸得长长的，"太热了，太热了……"

　　当小奔醒来时，他还在喃喃自语地说："……热呀，好热
呀……"温暖的阳光照射着他，三只小睡鼠蜷睡在他的胸脯上。

　　小奔笑了，怪不得这么热呢。他打了个哈欠，猛地跳了起
来，走出小卡车。小睡鼠们滚落下去，滚成一团。他们明白过来
是怎么回事之后，也从驾驶室里爬了出来。

　　小奔站在那里，惊奇地看着四周。

　　"……棕榈树，棕榈树在哪儿呢？"他结结巴巴地说，"我
记得，我们明明开走了呀！"

　　"开走了？开到哪里去呀？"小睡鼠们疑惑地问，"我们不
是一直在睡觉吗？睡了好久好久呀！"他们在初春的阳光中伸着
懒腰。

"啊，真是一次梦幻般的冬眠呀！"三只小睡鼠说。

"不，应该说真是一个非常美妙的冬眠之梦！"小奔说。他也的确经历了一次舒适的冬眠，就像小时候和家人一起，住在那个舒适的大洞里一样。而小睡鼠们呢，更是第一次和一只柔软、温暖而又巨大的熊睡在一起，而且从来没有睡得这么踏实过。

"多暖和、多舒服呀！"那只最小的睡鼠感叹地说。

"是的，从来没有这么舒服过呢。"小奔咯咯地笑着。

小睡鼠们该重新回到他们的树上去了。小奔也该回家去了。

分别时，他们约好下一个冬天再见——

"别忘了，还是这个时间，还是这辆小卡车喔。"

他们互相叮嘱道。

就像真正的好朋友那样，他们互相挥手告别，直到再也看不见对方的身影。